M000318279

Jaime Corpas
Ana Maroto

SGEL

Primera edición, 2015
Segunda edición, 2016

Produce: SGEL – Educación
Avda. Valdelaparra, 29
28108 Alcobendas (Madrid)

© Jaime Corpas, Ana Maroto
© Sociedad General Español de Librería, S. A., 2015
Avda. Valdelaparra, 29, 28108 Alcobendas (Madrid)

EDICIÓN: Mise García
CORRECCIÓN: Ana Sánchez
DISEÑO DE CUBIERTA E INTERIOR: Alexandre Lourdel
ILUSTRACIONES DE CUBIERTA Y DE INTERIOR: Pablo Torrecilla
MAQUETACIÓN: Alexandre Lourdel

ISBN: 978-84-9778-818-2

DEPÓSITO LEGAL: M-34644-2014
Printed en Spain – Impreso en España

IMPRESIÓN: V.A. Impresores, S.A.

Cualquier forma de reproducción, distribución, comunicación pública o transforma-
ción de esta obra solo puede ser realizada con la autorización de sus titulares, salvo
excepción prevista por la ley. Diríjase a CEDRO (Centro Español de Derechos Repro-
gráficos) si necesita fotocopiar o escanear algún fragmento de esta obra (www.conlicen-
cia.com; 91 702 19 70 / 93 272 04 47).

ÍNDICE

1
LOS FERNÁNDEZ LLEGAN A MALLORCA

—¡Mira, Lucas! ¡Mallorca! —dice Marina con una sonrisa.

Marina está muy guapa cuando sonríe, pero su hermano Lucas, sentado a su lado, no la ve, no abre sus bonitos ojos verdes ni se mueve. Porque Lucas tiene miedo a los aviones. Y no quiere pensar que ahora vuela por el cielo a cientos de kilómetros de tierra.

—No quiero mirar —dice asustado[1].

—¡Qué bonito es el mar en Mallorca! ¡Tiene un color tan azul!

—El mar es de color azul en todo el mundo, idiota. ¡Y cállate, por favor! —Lucas está nervioso.

Marina ve la isla de Mallorca más y más cerca. Están aterrizando[2].

—Ahora volamos muy bajo. Solo veo agua.

. . . .

[1] *Asustado/a:* con miedo.
[2] *Aterrizar:* cuando un avión llega a un aeropuerto.

—¡Dios mío, vamos a caer en el mar! —grita[3] Lucas.

Carmen y Paco, los padres de Lucas y Marina, están sentados detrás de ellos.

—Marina, ¿por qué no te callas? ¿No ves que tu hermano tiene miedo? —dice Carmen, la madre.

—Es un poco mayor para tener miedo, ¿no? ¡Que tiene veinte años! —contesta Marina.

—Tu padre tiene cincuenta y también tiene miedo a volar.

—Pero no grita como Lucas.

—Porque se ha tomado una pastilla[4] para dormir —dice Carmen.

Finalmente, el avión aterriza en el aeropuerto de Palma de Mallorca y la familia Fernández baja del avión. Paco, el padre, camina hacia la salida con los ojos cerrados. Carmen y Marina lo cogen por los brazos porque, si no, Paco se cae al suelo. Ha tomado una pastilla para dormir durante ocho horas, pero el viaje en avión desde Madrid hasta Mallorca es de una hora, y Paco todavía está dormido.

—Ve a buscar un taxi, Lucas. ¡Corre! —dice Carmen.

Lucas corre hacia la parada de taxis.

Carmen y Marina llevan a Paco con dificultad, casi se caen al suelo los tres.

Lucas viene corriendo hacia ellos con un taxista alto y fuerte.

—¡Ahí están, esa es mi familia! Por favor, ayúdenos —dice Lucas.

El taxista coge a Paco, que no despierta, y lo sienta detrás, en el taxi.

. . . .

3 *Gritar:* hablar muy alto.
4 *Pastilla:* medicamento.

—Bueno, ¡ya[5] estamos en Mallorca! —dice Carmen sentándose en la parte de atrás junto a Paco.

—¡Y estamos de vacaciones! —Lucas, contento, se sienta delante.

Carmen le da al taxista un papel con una dirección. Marina se sienta detrás, al lado de su padre. El taxi sale rápidamente del aeropuerto hacia la ciudad de Palma de Mallorca, que está a ocho kilómetros. El taxista mira por el espejo retrovisor[6]: el padre duerme con la boca abierta y se cae encima de su mujer; después, encima de su hija.

—Esta noche tenemos que salir de fiesta, ¿no? —dice el hijo.

Y el taxista piensa divertido: «Pues alguien ha empezado la fiesta antes de tiempo».

. . . .

[5] *Ya:* ahora

[6] *Espejo retrovisor:* es un pequeño espejo en el coche para ver a los pasajeros que van sentados detrás o a otros coches.

2
EL APARTAMENTO

El taxi entra en la bonita ciudad de Palma. Es verano y turistas de todo el mundo, la mayoría alemanes y británicos, pasean por las calles del centro histórico. Caminan entre casas elegantes e iglesias antiguas hasta llegar a la plaza Mayor o al Palacio Real. Y todos van a visitar la Catedral. Pero, para los turistas, lo mejor de Mallorca son el sol y las playas.

El taxi para en una zona residencial[7] cerca de la playa, frente a unos apartamentos.

El apartamento de los Fernández tiene un salón con terraza y vistas al mar, un dormitorio muy grande con cama de matrimonio, y dos dormitorios más pequeños; uno, con una cama pequeña, y el otro, con una cama grande. Además, hay un baño y una cocina pequeña.

Después de acostar a Paco en la cama y ver todo el apartamento, Carmen, Marina y Lucas cogen sus maletas, que están en la puerta de la entrada. Sin decir nada, Marina corre con su

---

[7] *Zona residencial:* parte de una ciudad donde vive gente, generalmente, con dinero.

maleta hacia el dormitorio pequeño con la cama grande. Detrás de ella, corre Lucas.

—¿A dónde vas? ¡Esa habitación es mía! —dice Lucas.

—Yo he llegado primero: es mía —Marina abre su maleta y empieza a sacar sus cosas.

—Lo siento pero esta cama es más grande y yo soy más alto.

—A mí también me gustan las camas grandes —Marina se mete dentro de la cama.

—¡Te he dicho que esta es mi cama! —dice Lucas.

—¿Tu cama? ¿Por qué? —pregunta Marina.

—¿De vacaciones también vais a estar así? —dice Carmen, cansada, de pie en la puerta—. ¡Marina, saca de aquí tus cosas y vete a la otra habitación!

—¡Mamá! Pero ¿por qué? —grita Marina.

—Por favor, hija, ya no eres una niña: tienes diecisiete años.

Marina mira muy enfadada a Lucas. Él también la mira muy serio.

—Empezamos bien las vacaciones —dice Carmen aburrida.

En ese momento, ven a Paco de pie en la puerta sonriendo con los ojos medio cerrados:

—Buenos días, familia. ¿Tenéis listas[8] las maletas? ¡Hoy nos vamos a Mallorca!

Carmen, Lucas y Marina miran en silencio a Paco. Luego, se ríen.

—Paco, ¡despierta! Estamos en Mallorca —dice Carmen.

—¿Ah, sí? —Paco está un poco dormido todavía—. ¿Y cómo hemos venido?

. . . .

[8] *Listo/a:* preparado.

—Volando en una escoba[9] —dice Lucas divertido.

—No, en una alfombra mágica[10] —se ríe Marina.

—En avión, cariño[11], en avión —dice Carmen sonriendo—. ¡Buenas tardes!

Paco se despierta de repente, preocupado.

—Pero ¿qué hora es? —dice nervioso.

—Estamos de vacaciones, no tenemos nada que hacer —Carmen sonríe feliz.

—¡Sí! ¡Tenemos que ir todos a una exposición esta tarde!

—¿Qué? —dicen los tres sorprendidos.

—Toni Barniol nos ha invitado a una exposición en su galería de arte —responde Paco.

—Yo no voy. A mí no me interesa el arte —dice Lucas.

—Hijo, Toni es un buen amigo nuestro —dice Carmen—. Además, este apartamento es suyo y nos lo deja gratis. Así que... ¡Te encanta el arte!

—¡Vacaciones en Mallorca! ¡Voy a ducharme! —dice Paco.

—Yo también quiero ducharme —dice Carmen.

—En el cuarto de baño hay sitio para los dos —le dice Paco sonriendo.

Carmen y Paco entran en el cuarto de baño riéndose.

—Una exposición ahora, ¡qué rollo[12]! —dice Lucas.

—Tú sí que eres un rollo —dice Marina. Y se va con todas sus cosas a la otra habitación.

. . . .

9 *Escoba:* objeto que se usa para limpiar el suelo; en los cuentos, las brujas vuelan con ellas.

10 *Alfombra (mágica):* tejido que se usa para cubrir y proteger el suelo. En los cuentos orientales vuelan con ellas.

11 *Cariño:* se utiliza con personas queridas para expresar afecto.

12 *Rollo:* expresión coloquial para decir que algo no nos gusta o es aburrido.

3

UN TRABAJO PARA MARINA

Después de descansar un rato en la terraza viendo la ciudad, los Fernández salen del apartamento para ir a la exposición de pintura.

La galería de arte está llena de gente elegante que pasea por la sala mirando los cuadros. Hay dos camareros que sirven bebidas a los invitados: vino, cerveza, zumos... Lucas camina aburrido por la sala, mientras sus padres, Paco y Carmen, hablan con su amigo Toni Barniol, el propietario de la galería. Marina va detrás de él y mira los cuadros.

—Me gustan mucho. El color y la luz son muy mediterráneos, ¿verdad?

—No tengo ni idea. ¿Por qué vienes detrás de mí todo el rato[13]? —contesta Lucas.

—Eres un antipático, ¿sabes? —dice Marina, enfadada.

—Me aburro. Quiero irme de aquí.

. . . .

[13] *Todo el rato:* todo el tiempo.

Marina va hacia sus padres, que hablan con Toni Barniol y Aina, su mujer.

—Aquí está Marina, ¿por qué no se lo preguntas? —le dice Paco a Aina.

—¿Preguntarme qué? —dice Marina con curiosidad.

—Toni y Aina tienen que viajar mucho este verano por trabajo —dice Carmen—. Y están buscando una canguro[14] para cuidar a sus hijos.

—Y la canguro, ¿tiene que dormir en vuestra casa por la noche? —pregunta Marina.

—Si estamos fuera de viaje, sí —dice Aina.

—El sueldo[15] es bueno —Toni sonríe.

—Tiene que ser muy bueno —dice Marina—. Porque la canguro tiene que trabajar veinticuatro horas al día si os vais de viaje.

—Es tan bueno que no vas a decir que no —Toni se ríe.

Marina sabe que Toni y Aina viven en una casa grande y antigua, llena de obras de arte. Toni Barniol es una persona muy conocida. Es un empresario con mucho poder en el mundo del arte y también con mucho dinero. Pero, además, Toni es un hombre culto, simpático y divertido. Aina, su mujer, es inteligente, agradable y sabe mucho de negocios. Son un equipo perfecto.

Marina sonríe contenta: va a ganar mucho dinero y va a dormir en una habitación grande. Las vacaciones empiezan muy bien.

- -

[14] *Canguro:* persona que cuida a niños de otras personas, normalmente durante unas horas.
[15] *Sueldo:* dinero que se recibe por trabajar.

4

LUCAS SE ENAMORA

Lucas está muy aburrido. Quiere irse de la exposición y dar un paseo por la calle. Sus padres y su hermana hablan con los Barniol todo el rato, y él se aburre mucho. Pero, cuando va a salir de la galería, la ve. Y entonces el tiempo se para[16]. Todo se para. También su corazón. Porque, en ese momento, entra la mujer de su vida. De pie, frente a la puerta, no oye ni ve a nadie más que a ella. No hay nada ni nadie en el mundo. Solo él y la chica rubia, alta y delgada, de ojos azules y piel muy blanca, que camina hacia él como una diosa[17]. La chica pasa a su lado y le sonríe. Lucas va detrás de ella sonriendo como un tonto. La chica se para delante de un cuadro y lo mira con atención. Él también se para y mira el cuadro. Quiere conocerla. Y ser simpático, inteligente, divertido. Quiere hablar con ella, pero no puede. Porque cuando Lucas se enamora[18] no puede hablar.

[16] *Pararse:* no moverse.
[17] *Diosa:* dios femenino.
[18] *Enamorarse:* sentir algo por alguien.

«Esta vez sí», piensa Lucas, «Esta es la chica de mis sueños[19]».

Toni Barniol camina hasta Lucas y le dice con una sonrisa:

—¿Qué me dices? ¿Te gustan los cuadros?

Lucas no entiende nada de arte, y tampoco le gusta. Pero sabe que la chica rubia, a su lado, está escuchando. Y se acuerda de los comentarios de su hermana.

—Me gusta mucho el color y la luz. Son muy mediterráneos, ¿no?

—Exactamente. Son el Mediterráneo. Bueno, veo que estás con una amiga, hasta luego.

Toni Barniol se va. Lucas y la chica se miran y sonríen.

—¿Cómo te llamas? —pregunta la chica.

—¿Yo? Pues… yo… me… me llamo Lucas —dice muy nervioso.

—Yo me llamo Claudia. Soy alemana. ¿Puedo hacerte una pregunta?

—¿Qué… qué… qué…? ¡Pregunta!

—¿Ese es Toni Barniol?

—Sí. Es el propietario de la galería.

—Sí, eso ya lo sé. Y también sé que es coleccionista de arte. ¿Lo conoces mucho?

—¡Sí! ¡Mucho! Él es… es… mi… mi padre… mi padre…

Lucas está muy contento, pero muy nervioso, y no encuentra las palabras para decirle que es amigo de su padre.

---

[19] *La chica de mis sueños:* la chica ideal, el gran amor.

—¡¿Es tu padre?! —dice Claudia entusiasmada—. ¡Tiene la mejor colección de arte del mundo!

—No, no, él... —Lucas quiere decir que no es su padre.

—Vale, del mundo, no, pero es una colección importante. Yo soy artista.

—¡Ah, eres artista! —dice Lucas, que no sabe qué decir.

—Sí, pero yo vendo mis cuadros en la playa, no en una galería —Claudia sonríe tímida.

Lucas la mira y piensa que tiene la sonrisa más bonita que ha visto en su vida.

—A mí me gusta mucho Miquel Barceló[20], ¿lo conoces? —pregunta Claudia.

—Sí. Aquí todo el mundo lo conoce, porque es de Mallorca.

—Hay un cuadro de Barceló que me encanta, lo he visto en un libro. Y está en Mallorca... Lo compró tu padre.

«Claudia quiere ser mi amiga porque cree que soy el hijo de Toni Barniol», piensa Lucas. «Pero me gusta mucho y quiero conocerla. No puedo decirle que Toni no es mi padre».

Sus padres, Paco y Carmen lo llaman con la mano.

—Espera un momento, Claudia.

Lucas va hasta la entrada, donde lo esperan sus padres y su hermana.

—Vámonos, Lucas —dice su padre—. ¿Queréis cenar ya o damos un paseo?

—Yo me quedo un poco más, ¡me encanta la exposición! Os veo luego.

. . . .

[20] *Miquel Barceló:* famoso pintor (Felanitx, Mallorca, 1957). Su obra está inspirada en la naturaleza y especialmente en el Mediterráneo y en África.

LUCAS
SE ENAMORA

Paco, Carmen y Marina lo miran sorprendidos. Pero, cuando ven a Lucas con la chica rubia, lo entienden. La chica es una belleza[21], pero ellos saben que Lucas es alto, guapo, y que a sus veinte años, con esos ojos verdes, enamora a todas las chicas. Le dicen adiós con la mano y salen de la galería sonriendo.

—Son unos buenos clientes de mi padre —le dice Lucas a Claudia.

---

[21] *Belleza:* muy guapa, muy bella.

5

CLAUDIA QUIERE VER EL CUADRO

Lucas lleva a Claudia a la Catedral de Palma para enseñarle el trabajo que Miquel Barceló hizo allí. Lucas quiere hacerle creer a Claudia que ama el arte y que sabe mucho. Por eso se pasa el día leyendo y estudiando sobre arte. Poco a poco, Lucas está empezando a amar el arte. A Claudia la ama desde que la vio por primera vez.

Cuando salen de la Catedral, ella está entusiasmada[22].

—Me encanta cómo explicas las cosas. Sabes mucho de arte.

—Y a mí me encanta enseñarte cosas y verte contenta —dice él.

—Y lo que más me gusta es que cada día contigo es una aventura —dice ella.

Hace dos semanas que se conocen, pero Lucas siente que la conoce desde siempre. Lucas coge su mano y la besa lentamente. Luego la mira enamorado.

. . . .

22 *Entusiasmado/a:* muy contento.

CLAUDIA QUIERE VER
EL CUADRO

—Pero hay una cosa que... ¿Por qué no quieres enseñarme el cuadro de Barceló? —dice ella.

Lucas sabe que Claudia quiere ir a su casa y ver el famoso cuadro de Barceló. El cuadro que compró su padre. El problema es que Toni no es su padre, y su casa no es su casa. Pero ¿cómo le dice que todo es mentira[23]? Tiene miedo de perderla[24]. Ahora la vida sin ella es imposible: una vida sin color, sin alegría, sin sol. Pero no le gusta mentir.

—Hoy no podemos, porque mis padres tienen invitados en casa. Vamos otro día —dice nervioso.

—Nunca vas a llevarme a tu casa, ¿verdad? —dice Claudia muy triste.

—¿Por qué dices eso?

—Porque soy una chica normal. De Alemania. Y porque no soy rica como tu familia.

—Eso es una tontería. El dinero no tiene importancia.

—El dinero sí que tiene importancia. Yo tengo que vender mis cuadros en la playa para ganar algo de dinero. En la playa, no en una galería.

Lucas quiere decirle que él tampoco es rico. Y que tiene que dar clases de Física, Química y Matemáticas en su casa a los niños del barrio para ganar algo de dinero. Pero se calla.

—Si mañana no me enseñas el cuadro, no quiero volver a verte —dice muy seria.

Claudia se va corriendo. Y Lucas no sabe qué hacer para verla otra vez.

Lucas camina hasta la casa de los Barniol.

[23] *Mentira:* lo contrario de verdad.
[24] *Perder:* perdemos algo cuando no lo encontramos.

21

6

LUCAS Y MARINA HACEN UN TRATO

—¿Qué haces aquí? —Marina abre la puerta en bañador.

—Vengo a verte —Lucas besa a su hermana.

—¿Para qué? ¿Qué ha pasado?

—Nada. Hace dos días que no te veo, te echo de menos[25] —dice Lucas con voz dulce.

—¿Crees que soy tonta? Tú quieres algo.

Hace dos días que los Barniol están en París porque un cliente muy importante quiere comprarles un cuadro. Marina cuida[26] durante todo ese tiempo de sus hijos y se queda a dormir en la casa. Lucas entra por el jardín y saluda a los dos niños, Marc y Carles, que están bañándose en la piscina. Camina detrás de su hermana por un pasillo y entran en un salón.

. . . .

[25] *Echar de menos:* cuando pasa un tiempo sin ver a una persona que queremos, la echamos de menos.

[26] *Cuidar:* lo que hace un/a canguro con un niño o, por ejemplo, lo que hacen en un hospital con una persona enferma.

—¿Los Barniol no tienen un cuadro de Barceló en la casa? —pregunta Lucas.

—Ahí lo tienes: el cuadro de Barceló —Marina se queda de pie frente al cuadro.

—¡Ah! —Lucas está entusiasmado—. Es pequeño, pero tiene mucha fuerza.

—Y a ti, ¿desde cuándo te interesa el arte? —Marina no entiende qué quiere Lucas.

—Marina, necesito tu ayuda —Lucas le coge las manos con cariño y la mira muy serio.

—¿Ah, sí? —Marina sonríe—. ¿Y qué me das, si te ayudo?

—¿Qué quieres?

—Quiero tu habitación. Mi cama es muy pequeña y la tuya es más grande.

Marina piensa que Lucas va a decir «no», pero Lucas sonríe feliz.

—¡Vale!

—¿Vale? —Marina no entiende nada—. Pero, tú... ¿qué quieres de mí?

—Mi amiga Claudia cree que soy hijo de Toni Barniol. Cree que esta es mi casa. Y quiere ver el cuadro de Barceló.

—¿Tú eres tonto? —Marina se ríe.

—Mañana por la tarde te llevas a los niños a la playa, o a pasear, o donde quieras. Tú me das unas llaves y yo vengo con Claudia.

—¡¿Estás loco?! ¡No, no, y no!

— Por favor, Marina.

—Además, mañana por la tarde vuelven Toni y su mujer. Es imposible.

—¿A qué hora llegan?

—A las ocho de la tarde.

—Te prometo que antes de las ocho estamos fuera de la casa. Por favor, por favor, Marina.

—¡No! —Marina está nerviosa.

—Te ayudo este año con todos los deberes y trabajos de clase.

Marina piensa un momento, pero no dice nada.

—No te ayudo: ¡te los hago yo! —dice Lucas, que quiere las llaves.

—¡Vale! —dice Marina.

EL CUADRO

Lucas abre la puerta de la casa de los Barniol. A su lado, Claudia espera con una sonrisa.

—Señorita, pase, por favor —dice Lucas muy simpático—. Mis padres no están.

—¿No hay nadie? —pregunta Claudia, cuando entra en la casa.

—No. Mis padres están de viaje. Estamos solo tú y yo.

—¡Qué jardín tan bonito! ¡Y qué piscina tan grande! —Claudia se para delante de la piscina.

—¿Quieres bañarte? ¿O quieres ver el cuadro de Barceló? —Lucas sonríe.

—Primero, quiero ver el cuadro, y, después, nos bañamos.

—Pero, ¿tienes bañador? —Lucas mira el reloj preocupado[27], porque antes de las ocho tienen que irse.

Claudia lleva una bolsa grande.

. . . .

[27] *Preocupado/a:* cuando alguien no está tranquilo.

—Sí, en la bolsa llevo un bañador y una toalla.

Mientras caminan por el pasillo hacia el salón, Lucas piensa: «Son las seis. Tenemos dos horas. Perfecto».

—Lucas, ¿dónde está el baño? Necesito entrar un momento.

—Eh… Pues… Al fondo a la derecha —Lucas no tiene ni idea de dónde está el baño.

Claudia entra en la puerta del fondo a la derecha.

—Esto no es el baño —grita Claudia.

Lucas está nervioso y no sabe qué hacer. Se ríe.

—En España el baño siempre está al fondo a la derecha. Es una broma[28].

—¿Te ríes de mí? —Claudia sonríe.

—¿No te gusta la aventura? Pues busca el baño. Aquí en el salón te esperamos el cuadro de Barceló y yo.

Claudia sonríe y Lucas piensa: «Todo va bien».

Pasan unos minutos mirando el cuadro sin hablar. Claudia lo mira con sus ojos azules, sin moverse. Lucas sabe que es un momento importante para ella. Finalmente, Claudia habla:

—Gracias. Estoy aquí, delante de este cuadro, contigo. Y no hay nadie más. Es como un sueño.

—¿Vamos a despertarnos a la piscina? —pregunta Lucas.

—¡Buena idea! Pero… tengo sed.

—Voy a preparar algo para beber. Ve a bañarte. En cinco minutos estoy contigo.

—Vale. Pero antes, ¿puedo hacer unas fotos del cuadro? —pregunta Claudia entusiasmada.

— Sí, claro.

. . . .

[28] *Broma:* un juego de palabras que no es serio, que no es verdad.

EL CUADRO

Lucas sonríe a Claudia y, después, corre por la casa a buscar la cocina. En la cocina busca vasos, hielo, limón y bebidas durante más de cinco minutos, porque no es su casa, ni su cocina, ni sus bebidas, y no sabe dónde están las cosas. Al final, encuentra todo lo que busca. «En las casas de los ricos hay de todo», piensa contento.

Lucas prepara las bebidas y busca también algo de comer. Piensa en Claudia. Le gusta mucho, pero siente algo más, es un sentimiento muy fuerte. Está enamorado. No puede mentirle más. Tiene que decirle la verdad. «Claudia dice que cada día conmigo es una aventura», piensa. «Si le digo que esta no es mi casa, que Toni Barniol no es mi padre y que somos dos aventureros y tenemos que irnos antes de las ocho, Claudia se va a reír». Ahora sonríe. Es el mejor momento para decirle quién es. ¡Es todo tan divertido!

Lucas abre la puerta con el pie y sale con las bebidas y la comida. En ese momento, Claudia viene hacia él muy seria.

—Lucas, tengo que irme. Me ha llamado un posible cliente y quiere ver mis cuadros ahora.

Claudia le da un beso en los labios y se va corriendo.

—Lo siento. Muchas gracias por todo, Lucas. ¡Hablamos!

8

MARINA LLAMA A LUCAS

Lucas vuelve a casa contento. «Claudia también está enamorada de mí». Y sus besos son… Lucas tiene calor y sonríe feliz. Cuando ella lo besa, él no piensa en nada, no oye ni ve nada. Está en otro mundo. Un mundo maravilloso[29], donde solo están ellos dos. Lucas quiere verla para contarle la verdad de la aventura en casa de Toni Barniol. Ella va a reírse. Va a pensar que él es una persona especial, diferente a los demás, que todo lo ha hecho por ella. Sonríe muy contento.

—Lucas, Marina ha llamado hace un momento y ha preguntado por ti. Llámala —dice Carmen mientras prepara la cena.

—¿Qué tal la playa?

—Hoy hemos estado en Deià[30]. Es el paraíso —dice Carmen—. Tienes que ir.

Lucas se va a su habitación. Su padre lo mira y se acuerda de cuando él era joven.

—Para Lucas, el paraíso es otra cosa —Paco pone la mesa.

. . . .

[29] *Maravilloso/a:* fantástico, extraordinario.
[30] *Deià:* pequeño pueblo en la costa de Mallorca, famoso por los artistas y escritores que viven o pasan sus vacaciones en él.

—¿Qué quieres decir? —le pregunta Carmen a su marido.

—Para Lucas, el paraíso es una chica rubia alemana con los ojos azules. No vas a verlo mucho en Deià ni en otro paraíso de los tuyos —dice Paco.

En la habitación, Lucas escucha a su hermana por teléfono. No puede creer lo que le dice Marina. No sabe qué pensar. Al final, cuelga el teléfono. Se levanta y camina de un lado a otro de la habitación. No es verdad. Claudia está enamorada de él. No puede ser.

—Mamá, me voy —dice Lucas, abriendo la puerta de la entrada.

—¿Te vas? Vamos a cenar ya —dice Carmen.

—Tengo que irme. Lo siento.

—¿Te pasa algo, hijo? —pregunta Paco preocupado.

—No. Es que Marina está sola y voy a cenar con ella —dice Lucas mientras sale del apartamento.

Carmen y Paco se miran.

—Bien, ¿no? En Madrid están siempre enfadados y no se hablan —dice Paco.

—Sí, pero… No sé.

—Tus hijos ahora son amigos y cenan juntos. ¿No estás contenta? —dice Paco.

¿Marina y Lucas, amigos? No. Carmen no se lo cree[31]. Pero sonríe.

—Sí, estoy muy contenta. Porque así estamos solos tú y yo. Sin hijos.

Paco y Carmen se conocen desde hace veinticinco años y todavía están enamorados.

. . . .

31 *Creerse algo:* pensar que algo es verdad.

9
¿DÓNDE ESTÁ EL CUADRO?

Marina entra en el salón. Lucas va detrás de ella.

—¿Lo ves? —dice enfadada.

Lucas mira la pared: el cuadro de Barceló no está.

—No lo entiendo —dice Lucas muy serio.

—¿Ah, no? Pues es muy fácil: tu amiga Claudia ha robado el cuadro —dice Marina.

«¿Dónde está el cuadro?», piensa Lucas, «¿Qué ha pasado? No es posible que Claudia…».

—¿Por qué no llamamos a la policía? —dice Lucas.

—¡No! ¡Nada de policía! —dice Marina asustada.

—¿Por qué no?

—¿Y qué les decimos? ¿Que yo te di las llaves y tú entraste con Claudia, y que el cuadro no está, pero nosotros no sabemos nada? —dice Marina.

—Tienen que creernos —dice Lucas preocupado.

—La culpa[32] es mía: yo cuido de los niños y de la casa. ¿No lo entiendes? —grita Marina.

—¿Y Toni? ¿Dónde están él y su mujer? ¿No han vuelto? —pregunta Lucas.

—Me han llamado por teléfono pero no he respondido. Entonces, me han enviado un mensaje: vuelven dentro de tres días. Y luego han llamado otra vez y les he dicho que todo está bien. No les he dicho nada del cuadro. Lucas, ¡tenemos tres días para encontrarlo!

—¿Y si Claudia dice que no sabe nada? —Lucas está nervioso y triste.

—Llámala. Ahora. Por favor —dice Marina llorando[33].

Lucas llama y espera. Piensa en esa tarde y recuerda: Claudia y él entran y miran el cuadro. Después, él va a la cocina y ella dice que va a hacer fotos. Lleva una bolsa grande…, y el cuadro es pequeño. Y cuando él sale de la cocina, ella se va corriendo. ¡No! Claudia le ha mentido todo el tiempo. Todo es mentira, no está enamorada de él. Todo ha sido mentira. Desde el primer momento en la galería. «Si mañana no me llevas a tu casa, no quiero volver a verte». Ahora lo entiende: Claudia ha ido a la casa para robar el cuadro. Ella es la mentirosa en esta historia. Y él es el idiota. Lucas escucha un mensaje automático en el móvil de Claudia y cuelga.

—Tiene el móvil apagado —Lucas está muy nervioso.

—Muy lista[34]. No importa, vamos a su casa —dice Marina con energía.

. . . .

[32] *Culpa:* sentimiento que tenemos cuando nos sentimos responsables de algo malo.
[33] *Llorar:* lo contrario de reír.
[34] *Listo/a:* inteligente.

—No sé dónde vive —Lucas piensa que no hay nadie en el mundo tan idiota como él.

—¿No sabes dónde vive? ¿Llevas con ella dos semanas y no sabes dónde vive? —grita Marina.

—Soy un idiota. Y lo peor es que estoy enamorado de ella —Lucas cierra los ojos.

—No, lo peor es que eres mi hermano —dice Marina, enfadada.

Lucas mira a su hermana y ve que está llorando. Él también está muy triste, pero no quiere llorar. Quiere encontrar el cuadro.

—Los Barniol vuelven dentro de tres días, ¿no? Voy a encontrar el cuadro, Marina. Te lo prometo[35].

---

[35] *Prometer:* asegurar, garantizar a alguien que vamos a hacer lo que decimos.

10

EL TALLER DE CLAUDIA

Lucas conoce ahora Palma como su casa. Hace tres días que camina por la ciudad preguntando a todo el mundo por Claudia: una chica alemana, rubia, con los ojos azules. «¡Ah, sí! ¡Sé quién es! No sé su nombre, pero es una alemana rubia muy guapa». Y Lucas va hasta un apartamento y llama, y abre una alemana rubia muy guapa, con ojos azules, pero no es Claudia.

Lucas sabe ahora que en Mallorca hay muchas chicas jóvenes alemanas tan guapas como Claudia. Pero, para él, no hay otra como ella. Si Claudia ha robado el cuadro es porque lo necesita para algo importante… No. No es así. Si lo ha robado es porque es una ladrona. Y tiene que olvidarla[36]. Lucas no entiende por qué no la odia[37]. Está triste, pero no enfadado. ¿Por qué? Porque es un idiota. Y está enamorado como un idiota de ella.

Han pasado tres días y Claudia no contesta al móvil. Está apagado. Y Marina está asustada porque Toni y su mujer, Aina,

. . . .

[36] *Olvidar:* no pensar más en algo o en alguien; lo contrario de recordar.
[37] *Odiar:* lo contrario de querer.

vuelven hoy de París. Y van a ver que el cuadro no está en la pared… Y van a creer que lo ha robado Marina.

Lucas no sabe qué hacer. Ha buscado a Claudia por todas partes. Va hasta el puerto. Pescadores, camioneros y otros trabajadores van de un lado a otro con prisa. También hay turistas que hacen fotos de todo. Y, entonces, Lucas ve a Claudia.

Claudia habla con un hombre de negocios de unos cuarenta años, que lleva un traje gris con corbata y un maletín negro. Caminan hasta un viejo almacén[38]. Lucas va detrás de ellos, a unos cincuenta metros de distancia. Entran por una puerta de metal.

Lucas llega al almacén y mira a través de una ventana pequeña desde la calle. Es el taller[39] de Claudia. Hay muchos cuadros, pero no los ve bien. El hombre se para delante de un cuadro que tiene una sábana[40] encima. Claudia quita la sábana, y el hombre mira el cuadro con atención. Sonríe finalmente muy contento y dice que sí con la cabeza. Se dan la mano y luego salen a la calle. Lucas se esconde[41].

Claudia y el hombre de negocios se van del puerto. Cuando están lejos, Lucas vuelve a la ventana y mira dentro del taller. Ve el cuadro sin la sábana encima: ¡es el cuadro de Barceló! «Claudia es una ladrona, pero no es muy lista», piensa. Le empieza a doler el estómago y la cabeza. Se encuentra fatal. Pero sabe lo que tiene que hacer.

. . . .

[38] *Almacén:* lugar donde se guardan cosas.

[39] *Taller:* espacio en el que normalmente trabajan los artistas o, por ejemplo, los mecánicos.

[40] *Sábana:* pieza de tela que ponemos en la cama normalmente para dormir.

[41] *Esconderse:* ponerse en un lugar para no ser visto.

11
EL PLAN DE LUCAS

Marc y Carles corren por el puerto. Lucas tiene un balón y juega con ellos.

—Lucas, ¿por qué no vienes tú todos los días a cuidarnos? —dice Marc.

—¿No os gusta Marina? Es un poco antipática, ¿verdad? —bromea[42] Lucas.

—No, pero tú nos gustas más, porque juegas al fútbol con nosotros —dice Carles.

—¡Lucas, ahí viene! —grita Marina muy nerviosa.

—¿Quién? —preguntan los niños.

—Nadie. Un barco. Ahí viene un barco —miente Marina.

Lucas ve a Claudia, que camina hacia el taller.

—¡Marc, Carles, vámonos a ver los barcos! —dice Lucas—. ¡Suerte, hermanita!

Marina camina hasta el taller con una bolsa grande. La puerta está abierta y entra lentamente.

—Hola —dice Marina—. ¿Puedo pasar?

. . . .

[42] *Bromear:* decir algo para divertirse.

—Hola. Pasa —Claudia saluda a Marina con una sonrisa.

—¿Puedo mirar los cuadros? —pregunta Marina.

—Sí, claro. Y también puedes comprarlos si te gustan —dice Claudia sonriendo.

Marina mira algunos cuadros. Hay uno que tiene una sábana encima.

—Y este, ¿puedo verlo?

—No. Ese está vendido. Lo siento.

—¿Son tuyos? —Marina está muy nerviosa.

—Sí, son todos míos.

—Son muy bonitos —dice Marina y se sienta en una silla con los ojos cerrados.

—¿Qué te pasa? ¿Estás bien? —dice Claudia, preocupada.

—No sé. Me encuentro mal... ¿Me puedes dar un vaso de agua? —dice Marina.

—¡Claro! Ahora vuelvo.

Claudia se va por un pasillo. Rápidamente, Marina se levanta de la silla y quita la sábana: «¡Es el cuadro de Barceló!». Lo coge, lo mete en la bolsa y sale corriendo a la calle.

Lucas ve a su hermana que corre hacia él desde lejos. Marina grita:

—¡Vámonos! ¡Tengo el cuadro! ¡Vámonos!

Lucas va a buscar a Carles y a Marc, que juegan al lado de los barcos. Y dice alegre:

—¡Tenemos que irnos! Gana el que llega primero a la salida del puerto. ¡Una, dos y tres!

Lucas empieza a correr y los niños corren divertidos detrás de él. Marina está muy asustada y corre con el cuadro dentro de la bolsa. Es la que llega primero.

12
¿QUÉ ES ESTO?

Lucas, Marina y los dos niños entran en la casa corriendo.

—¡Primero! —grita Carles.

—¡Segundo! —grita Marc.

—¡Date prisa[43], Lucas! —dice Marina en voz baja.

—¡Niños, a la cocina! Tenéis hambre, ¿verdad? —Marina camina con los niños por el pasillo.

—¡Sí! ¡Y yo tengo mucha sed! —dice Carles.

Los niños entran corriendo en la cocina. Lucas va hacia el salón con la bolsa.

—¿A qué hora llegan? —pregunta.

—Toni me ha dicho que el avión llega a las ocho. Y son las… —Marina mira la hora en su móvil—. ¡Las ocho y media! ¡Date prisa, por favor!

Oyen un coche que entra en el garaje de la casa. Los dos se asustan.

· ·

[43] *Darse prisa:* actuar con rapidez.

—¡Son ellos! ¡Ya están aquí!

—¡Corre, cuelga⁴⁴ el cuadro! ¡Van a entrar!

La puerta de la entrada se abre en ese momento. Lucas entra en el salón.

—Hola, Marina. ¿Qué tal ha ido todo? —dice Aina entrando en la casa.

—Genial. Por aquí todo bien. Los niños están cenando en la cocina. ¿Y vosotros? —Marina está nerviosa, pero sonríe.

—Muy bien. Porque vender un cuadro importante no es fácil —dice Aina contenta.

Lucas está en el salón con el cuadro en la mano mirando la pared, cuando Marina entra.

—¡Cuelga el cuadro! ¡Rápido! ¿A qué esperas? —dice Marina.

—No puedo, no veo bien.

Lucas está muy nervioso, pero Marina lo ayuda.

—Levanta el cuadro más. Ahí. A la izquierda. No, un poco a la derecha. ¡Ahí! —dice ella.

Oyen más y más cerca los pasos de Toni y de Aina, que caminan hacia el salón. La puerta se abre justo cuando Lucas cuelga el cuadro.

—¡Hola, Lucas! —dice Toni muy simpático—. ¿Qué haces tú aquí?

—Ha venido a buscarme para ayudarme con la maleta y mis cosas —dice Marina.

—Y para saludaros —dice Lucas con una bonita sonrisa.

Toni y Aina sonríen pero, de repente, ven el cuadro en la pared y se quedan serios.

. . . .

⁴⁴ *Colgar:* poner el cuadro en la pared.

—¿Qué es esto? —dice Toni mirándolo, con la cara blanca.

Lucas y Marina no entienden nada. El cuadro está bien, no está roto, ni sucio…

—¿Y ese cuadro? —pregunta Aina a Marina.

—¿Qué le pasa al cuadro? —dice Marina asustada.

—Me encanta Barceló. Es un cuadro con mucha fuerza —dice Lucas nervioso.

—Ese cuadro no es de Barceló —dice Aina.

—¿Ah, no? ¿Y de quién es? —pregunta Lucas sorprendido.

—Marina, dinos tú de quién es —pregunta Aina.

—¿No es de Barceló? —dice Marina.

—¿Qué hace ese cuadro ahí, Marina? —pregunta Toni.

—Ese cuadro siempre ha estado ahí —Marina no entiende nada.

—Ese cuadro nunca ha estado ahí. Y el cuadro de Barceló lo vendimos ayer en París.

—¡¿Qué?! —Marina y Lucas se quedan con la boca abierta.

—Por eso hemos vuelto hoy. Fuimos a París a vender el cuadro —dice Aina.

—Te lo dijimos en un mensaje que te enviamos al móvil —dice Toni.

Marina lee el mensaje en su móvil: «Volvemos dentro de tres días». Pero el mensaje es más largo… No lo vio por los nervios: «Cuadro Barceló vendido. Lo llevamos urgente a París. Llámanos».

Marina piensa en aquella tarde: Lucas y Claudia entran en la casa, ven el cuadro, luego se van. Después llegan Toni y Aina, pero no se quedan en casa. Han vendido el cuadro y tienen que ir a París. Cogen el cuadro y se marchan inmediatamente a París. Le escriben el mensaje para explicarle por qué no están en casa. Pero ella solo lee una parte del mensaje. No lee que se han llevado el cuadro. Más tarde, ella llega con los niños, ve que el cuadro no está y piensa que Claudia lo ha robado. ¡Ahora lo entiende!

—¿Nos puedes explicar qué hace ese cuadro ahí? —pregunta Aina.

—Es una copia del cuadro de Barceló muy buena, ¿no? —le dice Marina a Toni con una sonrisa.

—Lo ha hecho una amiga mía —dice Lucas contento, que ahora también entiende lo que pasa.

—¡Ah! Y quiere saber nuestra opinión —Aina sonríe por fin.

—No está mal. Pero no es el original —dice Toni.

13

LUCAS DICE LA VERDAD

Lucas camina hasta el puerto y entra en el taller de Claudia.

—¡Lucas! ¿Qué haces aquí? —Claudia sonríe contenta.

—No sé nada de ti desde hace tres días. Te he buscado por todas partes. ¿Por qué no me has llamado?

—Hace tres días que perdí el móvil. Y no lo encuentro —dice Claudia.

—Tengo que decirte algo, Claudia —Lucas la mira muy serio.

—Pensé en ir a tu casa…, pero he tenido problemas. ¿Estás muy enfadado?

—No, no estoy enfadado. Pero tú sí que vas a enfadarte conmigo —dice Lucas.

—¿Por qué? —Claudia lo mira preocupada.

—Primero, quiero decirte que yo… estoy enamorado de ti. Y todo lo he hecho por ti.

—¿Qué has hecho, Lucas? —Claudia está ahora muy seria.

—Enseñarte el cuadro de Barceló.

—No te entiendo.

—Yo no vivo en esa casa —dice Lucas en voz baja.

—¿No vives con tus padres? —Claudia se ríe—. Yo tampoco vivo con los míos.

—Sí que vivo con mis padres. Pero… Toni Barniol no es mi padre.

—¡Ah, es el marido de tu madre!

—¡No! ¡Toni no es mi padre y su mujer no es mi madre! Y no saben que tú y yo estuvimos en su casa. Te he mentido, Claudia. Mis padres se llaman Paco y Carmen. Y no somos ricos. Vivimos en Madrid y estamos aquí de vacaciones.

La chica mira a Lucas sin moverse. Lucas se ha reído de ella.

—Pero ¿por qué? ¿Por qué me has mentido? —dice Claudia muy enfadada.

—Porque yo no soy nadie. Ni soy rico, ni soy artista. Las chicas como tú no se enamoran de alguien como yo. Se enamoran del hijo de Toni Barniol.

—Eso no es verdad, Lucas —Claudia se calla un momento—. ¿Te llamas Lucas?

—Sí, me llamo Lucas. Lucas Fernández. Tengo veinte años. Estudio tercero de Biología en la Universidad Complutense de Madrid. Doy clases a chicos de instituto para ganar algo de dinero. Y nunca me ha gustado el arte ni sé nada de arte.

—Pero… —Claudia recuerda sus conversaciones sobre arte.

—He estudiado mucho durante estas dos semanas para poder hablar contigo. Y me alegro, porque ahora sí que me gusta el arte.

Claudia se queda callada. No sabe qué pensar de Lucas.

—Todo lo he hecho por ti. Porque yo… te quiero —dice Lucas con voz tímida.

Él le ha mentido, pero… ha hecho muchas cosas por ella. Y es divertido, inteligente, simpático, guapo. No es un artista, ni es rico, pero es un chico muy especial. Claudia empieza a reírse. Todo ha sido una gran aventura. Abraza a Lucas y lo besa. De repente, recuerda algo:

—Pero, ¡tú y yo entramos en casa de Toni Barniol con llaves! ¿Quién te las dio?

Lucas la mira divertido.

—Vámonos.

—¿A dónde?

—Es una sorpresa —Lucas sonríe.

14

SORPRESA

Lucas llama a la puerta de los Barniol. A su lado, Claudia espera un poco asustada.

—Pero ¿qué hacemos aquí? —dice nerviosa.

—Ahora lo vas a ver —Lucas se está divirtiendo mucho.

Marina abre la puerta y mira a su hermano y a la chica alemana con una gran sonrisa.

—¡Hola! Pasad, por favor —dice muy amable.

—¡Tú...! ¡Tú eres la chica que...! —Claudia no puede hablar por la sorpresa—. ¡Lucas, esta chica me ha robado un cuadro!

—Esta chica es mi hermana. Marina, te presento a Claudia. Claudia, te presento a Marina.

Marina le da dos besos. Claudia no entiende nada. Toni Barniol viene andando por el pasillo.

—¡Hola! Tú eres Claudia, ¿verdad? La artista alemana —Toni le da la mano.

Aina viene detrás de él. Le da dos besos.

—Lucas nos ha hablado mucho de ti.

Claudia no entiende la historia, pero sonríe: es otra aventura de Lucas.

—¿Por qué no vais al salón? —dice Aina—. Yo voy a preparar unas bebidas y unas tapas a la cocina. Marina, ¿me ayudas?

Cuando entran en el salón, la sorpresa para Claudia es grande. ¡Su cuadro está en la pared!

—No es una copia mala. Pero tampoco es buena —dice Toni muy serio.

—Pues tengo un cliente que quiere comprarlo —dice Claudia tímida.

—¿Sabes por qué no es buena? Porque es demasiado personal —Toni habla con voz suave[45].

Toni Barniol, el gran coleccionista de arte, le está diciendo que la copia de Barceló no es buena. No es una buena pintora. Le duele oír eso.

—Crees que no soy una buena artista —dice Claudia muy triste.

—Creo que no haces buenas copias. Porque hay cosas en el cuadro que no son de Barceló: son tuyas. Pero… esas cosas me gustan. Sí, me gustan ¡mucho!

—¡¿Te gustan?!

—Tú eres una artista. Quiero ver tus cuadros. Si quieres enseñármelos —Toni sonríe.

—¡Sí, sí quiero! —grita Claudia.

. . . .

45 *Suave:* lo contrario de fuerte.

SORPRESA

Aina sirve las bebidas en el jardín. Los niños salen de la piscina. Carles se para cerca de la puerta y coge algo del suelo. Corre hasta sus padres, que hablan sobre los cuadros de la chica alemana.

—¡Papá! ¿Es tuyo? —y le da un móvil.

—No. Aina, ¿es tuyo? —pregunta Toni a su mujer.

—No, no es mío —contesta Aina.

—¿Es tuyo, Marina? —pregunta Toni.

—No, no es mío.

—¿Y de quién es? —pregunta el niño.

—Mío —dice Claudia finalmente.

UN FINAL FELIZ

Claudia y Lucas pasean por el bonito pueblo de Deià como dos enamorados. Hablan, se ríen, se besan. Y viven el presente. No quieren pensar en el futuro. Porque es su último día en Mallorca. Claudia se marcha por la noche de la isla. Vuelve a Alemania.

Lucas ha decidido ir a Deià con Claudia, porque su madre, Carmen, dice que es el paraíso. Y porque desde el siglo XIX artistas de todo el mundo han ido a vivir allí.

Y Lucas no lo sabe pero Claudia ha reservado mesa para comer en un restaurante muy famoso. Es muy caro, pero no le importa porque quiere invitar a Lucas al mejor restaurante. Ahora tiene dinero, ha vendido todos sus cuadros. Pero no en la playa. En una galería: la de Toni Barniol. Y los clientes de Toni esperan más cuadros para comprarlos. Todos quieren un cuadro de Claudia.

Los dos jóvenes están contentos y hablan de todas las aventuras que han vivido en Mallorca ese verano. Claudia le dice que su vida es diferente después de conocerlo. Ahora es una joven artista de éxito. Y ahora sabe qué es el amor.

No quieren pensar en el futuro, pero el futuro está ahí, muy cerca.

Para Lucas, el futuro es el tiempo sin Claudia. Y tiene miedo. Para Claudia, el futuro es su país, su trabajo, su familia y sus amigos. Pero también es el frío, los días sin sol, la vida sin Lucas. Los dos saben que el futuro empieza esa noche. Pero no quieren estar tristes. Quieren vivir el presente. Porque el presente es el paraíso.

Cogidos de la mano dan un paseo por la playa. Claudia va a volver a Mallorca el próximo verano. Lucas también. Se abrazan con fuerza y se miran, enamorados, a los ojos. De repente, Claudia empieza a llorar y no puede parar.

—Esto no es un adiós, solo es un hasta luego —dice Lucas con voz dulce.

Y sabe que no va a olvidar a Claudia. Ni va a olvidar estas vacaciones. Eso es imposible. Porque son las mejores vacaciones de su vida.

FIN

ACTIVIDADES

1. LOS FERNÁNDEZ LLEGAN A MALLORCA

1. ¿A qué miembro de la familia Fernández se refiere cada frase?

1. Tiene los ojos verdes: ....
2. Es la hermana de Lucas: ....
3. Tiene cincuenta años: ....
4. Tiene 20 años: ....
5. Es la madre de Lucas: ....

2. ¿Verdadero o falso?

	V	F
1. Los Fernández van de vacaciones a Mallorca.	☐	☐
2. Marina y Paco tienen miedo a volar.	☐	☐
3. Lucas ha tomado una pastilla para dormir.	☐	☐
4. Los Fernández han subido al avión en Madrid.	☐	☐
5. El vuelo dura ocho horas.	☐	☐
6. Paco no puede caminar porque está enfermo.	☐	☐
7. Los Fernández van desde el aeropuerto a Palma en taxi.	☐	☐
8. El taxista piensa que Paco está dormido.	☐	☐

REFLEXIÓN

¿Vas normalmente de vacaciones con tu familia?
¿Te gusta viajar en avión?

2. EL APARTAMENTO

1. **Describe el apartamento de los Fernández en Palma. Utiliza las palabras del recuadro.**

> vistas al mar – playa – cama de matrimonio – Palma –
> zona residencial – terraza – dos dormitorios

2. **Completa el resumen del capítulo con la información que falta.**

Los Fernández entran en el apartamento y (1)...............
Marina se instala en la habitación con la cama grande, pero Lucas quiere esa habitación porque (2)................... Marina y Lucas se enfadan. Paco se despierta y (3)...................
No sabe cómo han llegado a Mallorca. Paco dice que esta tarde (4)...................., pero Lucas no quiere ir porque (5)........................ Carmen les dice que el propietario del apartamento donde van a pasar las vacaciones (6)........................, y además es un buen amigo de la familia. Los padres están muy contentos y van a (7)................... Marina está enfadada con su hermano, pero finalmente (8).....................

a. tienen que ir a una exposición
b. él es más alto que ella y necesita una cama grande
c. acuestan a Paco en la cama
d. piensa que están en Madrid
e. no le interesa el arte
f. ducharse juntos
g. se cambia a la habitación con la cama pequeña
h. es también el propietario de la galería

¿Dónde te gusta pasar tus vacaciones: en un apartamento, en un hotel, en un *camping*…?
Imagina que tú estás en la situación de Lucas y que tampoco te gusta el arte, ¿vas a la exposición?

3. UN TRABAJO PARA MARINA

1. **Lee las siguientes informaciones sobre este capítulo. Hay tres que no son verdad. Márcalas con una X.**

1. En la galería hay mucha gente y hay dos camareros que sirven bebidas. ☐
2. Lucas está muy aburrido. ☐
3. Carmen y Paco hablan con Lucas. ☐
4. Toni Barniol es el propietario de la galería. ☐
5. Lucas va todo el tiempo detrás de Marina. ☐
6. Toni Barniol busca una canguro para cuidar a sus hijos durante el verano. ☐
7. La canguro tiene que estar con los niños las 24 horas del día. ☐
8. Toni Barniol no le ofrece mucho dinero por el trabajo. ☐
9. Toni Barniol es un empresario muy conocido en Mallorca. ☐
10. Marina acepta el trabajo. ☐
11. Marina va a ganar mucho dinero. ☐

2. ¿Quién dice estas frases con otras palabras: Marina, Lucas, Toni o Carmen?

1. Me gusta mucho la exposición: ....
2. No quiero estar aquí: ....
3. No eres muy simpático: ....
4. Los Barniol buscan una canguro para cuidar a sus hijos: ....
5. El sueldo es bueno: ....

REFLEXIÓN

Imagina que eres Marina y que te ofrecen un trabajo como canguro durante tus vacaciones, ¿lo aceptas?

4. LUCAS SE ENAMORA

1. Ordena lo que ocurre en la primera parte de este capítulo.

1	2	3	4	5	6	7
d						

a. Lucas y la chica se miran y se presentan.
b. pero, de pronto, entra una chica en la galería y
c. Lucas está muy nervioso y no le dice la verdad.
d. Lucas se aburre mucho en la exposición
e. Quiere hablar con ella pero no sabe qué decirle.
f. Lucas la mira, ella le sonríe y él se enamora de ella.
g. La chica le pregunta a Lucas si Toni Barniol es su padre.

2. ¿Verdadero o falso?

	V	F
1. Claudia es una artista.	☐	☐
2. Lucas no sabe quién es Miquel Barceló.	☐	☐
3. Toni Barniol tiene un cuadro de Miquel Barceló.	☐	☐
4. Lucas cree que Claudia quiere ser su amiga porque es guapo.	☐	☐
5. Lucas no quiere cenar con sus padres porque le gusta la exposición.	☐	☐
6. Carmen y Paco saben que Lucas se queda en la galería porque está con una chica muy guapa.	☐	☐
7. Los padres de Lucas están enfadados.	☐	☐
8. Lucas presenta a Claudia a sus padres.	☐	☐

REFLEXIÓN

¿Por qué crees que Lucas no le dice la verdad a Claudia?

5. CLAUDIA QUIERE VER EL CUADRO

1. Termina las frases.

1. Lucas y Claudia van a la Catedral de Palma para ver
   ....
2. A Lucas, ahora sí le interesa ....
3. Lucas está enamorado de ....
4. Lucas y Claudia se conocen desde hace ....
5. Claudia quiere ir a casa de Lucas para ver ....
6. Claudia piensa que la familia de Lucas es ....

2. Relaciona la información de las dos columnas.

1. Claudia no entiende	a. llevarla a su casa porque no es una chica rica.
2. Lucas no sabe	b. despedirse de Lucas.
3. Lucas tiene miedo	c. por qué Lucas no quiere enseñarle el cuadro de Barceló.
4. Claudia piensa que Lucas no quiere	d. cómo decirle a Claudia que no es el hijo de Toni Barniol.
5. Claudia tiene que vender sus cuadros en la playa	e. tiene que dar clases en su casa a los niños del barrio.
6. Claudia no sabe que Lucas	f. de perder a Claudia.
7. Claudia está enfadada y se va sin	g. para vivir.

REFLEXIÓN

¿Por qué crees que Claudia está enfadada con Lucas? ¿Crees que su reacción es normal?

6. LUCAS Y MARINA HACEN UN TRATO

1. Completa, en la página siguiente, las frases que dicen Marina y Lucas. Después, escribe al lado quién las dice.

> te interesa el arte – te echo de menos
> la tuya es más grande – trabajos de clase
> te los hago yo – estamos fuera de la casa
> si te ayudo – soy hijo de Toni Barniol

1. Hace dos días que no te veo, ...
2. Y a ti, ¿desde cuándo ....?
3. Y, ¿qué me das, ...?
4. Mi cama es muy pequeña y ....
5. Mi amiga Claudia cree que ....
6. Te prometo que antes de las ocho ....
7. Te ayudo este año con todos los deberes y ....
8. No te ayudo: ¡...............................!

2. Lee las siguientes informaciones. Hay tres que no son verdad. Márcalas con una ✗.

	V	F
1. Lucas va a visitar a su hermana porque la echa de menos.	☐	☐
2. Marina sabe que Lucas quiere pedirle algo.	☐	☐
3. Los Barniol están en la casa.	☐	☐
4. Lucas quiere la habitación de Marina.	☐	☐
5. Lucas le dice a Marina que Claudia quiere ver el cuadro de Barceló.	☐	☐
6. Marina está nerviosa porque los Barniol llegan al día siguiente.	☐	☐
7. Lucas va a hacer los deberes de Marina este año, si ella lo ayuda.	☐	☐
8. Marina le deja las llaves a Lucas.	☐	☐

REFLEXIÓN

Imagina que estás en la situación de Marina, ¿ayudas a Lucas?

7. EL CUADRO

1. Relaciona la información de las dos columnas.

1. Claudia primero quiere ver el cuadro y	a. dónde está el baño.
2. Lucas está preocupado porque	b. porque un posible cliente quiere ver sus cuadros.
3. Lucas no sabe	c. después quiere bañarse.
4. Lucas ofrece a Claudia	d. tienen que irse de la casa antes de las ocho.
5. Lucas está muy enamorado de Claudia y quiere	e. algo para beber.
6. Claudia tiene que irse	f. contarle la verdad sobre su familia.

2. Completa el resumen del capítulo con la información que falta.

Lucas y Claudia van a casa de los Barniol para (1).......... En ese momento en la casa (2)............, porque Marina se ha ido a pasear con los niños. (3)........... pero Lucas no sabe dónde está y se pone nervioso. Pasan mucho tiempo mirando el cuadro y (4)............. Hace unas fotos del cuadro y Lucas (5).............. a preparar algo para beber y para comer. En la cocina Lucas piensa que esa tarde (6).............. a Claudia sobre la casa y sobre sus padres. Cuando Lucas sale de la cocina, Claudia le dice que (7)........... porque la ha llamado un cliente que (8).............. Le da un beso y se va.

a. Claudia quiere ir al baño	e. quiere ver sus cuadros
b. ver el cuadro de Barceló	f. Claudia está muy contenta
c. tiene que irse	g. tiene que decirle la verdad
d. no hay nadie	h. va a la cocina

¿Por qué crees que Lucas todavía no le ha dicho a Claudia la verdad sobre su familia después de estar dos semanas juntos?

8. MARINA LLAMA A LUCAS

1. **Completa las frases sobre este capítulo. A todas les falta una palabra.**

   1. Después de ver el cuadro de Barceló con Claudia, Lucas vuelve a casa muy ....

   2. Lucas quiere ver a Claudia para contarle la .... sobre su familia.

   3. Su madre le dice que Marina ha llamado porque quiere hablar con ....

   4. Carmen piensa que Deià es muy bonito. Para ella el pueblo es el ....

   5. Lucas no puede .... lo que le dice Marina por teléfono.

   6. Lucas no va a cenar con sus ...., porque va a ver a Marina.

   7. Paco está contento porque sus hijos van a cenar ....

   8. Carmen está contenta porque ella y su marido van a cenar ....

   9. Hace veinticinco años que Carmen y Paco se conocen y todavía están ....

ACTIVIDADES

2. Vamos a resumir el contenido de los primeros ocho capítulos. Ordena las cosas que pasan en la historia cronológicamente.

Capítulo	1	2	3	4	5	6	7	8

a. Los Fernández van a la exposición y Toni Barniol le ofrece un trabajo a Marina.

b. Claudia y Lucas van a casa de los Barniol y ven el cuadro de Barceló.

c. Los Fernández llegan al aeropuerto de Palma de Mallorca y toman un taxi.

d. Claudia no entiende por qué Lucas no quiere enseñarle el cuadro de Barceló.

e. Los Fernández se instalan en el apartamento y Paco se despierta.

f. Lucas piensa que Claudia está enamorado de él, pero Marina lo llama para darle malas noticias.

g. Lucas conoce a Claudia en la exposición y se enamora de ella.

h. Lucas habla con Marina porque quiere las llaves de la casa de los Barniol.

REFLEXIÓN

¿Qué crees que ha pasado? ¿Por qué quiere Marina hablar con Lucas?

ACTIVIDADES

9. ¿DÓNDE ESTÁ EL CUADRO?

1. Completa con las palabras que faltan.

> cocina – tarde – mensaje – cuadro – galería
> tiempo – bolsa – historia – móvil – casa

Lucas llama y espera. Piensa en esa (1)......... y recuerda: él y Claudia entran y miran el (2).......... Después, él va a la (3)......... y ella dice que va a hacer fotos. Lleva una (4)......... grande... Y cuando él sale de la cocina, ella se va corriendo. ¡No! Claudia le ha mentido todo el (5).......... No está enamorada de él. Desde el primer momento en la (6).......... «Si mañana no me llevas a tu (7)............, no quiero volver a verte». Ahora lo entiende: Claudia ha ido a la casa para robar el cuadro. Ella es la mentirosa en esta (8)............ Y él es el idiota. Lucas escucha un (9)............ en el (10)............ de Claudia y cuelga.

2. ¿Verdadero o falso?

		V	F
1.	El cuadro no está en casa de los Barniol.	☐	☐
2.	Lucas llama a la policía.	☐	☐
3.	Los Barniol vuelven dentro de tres días.	☐	☐
4.	Lucas cree que Claudia tiene el cuadro.	☐	☐
5.	Lucas llama a Claudia, pero ella no contesta.	☐	☐
6.	Lucas y Marina van a la casa de Claudia.	☐	☐
7.	Lucas ya no está enamorado de Claudia.	☐	☐
8.	Lucas promete que va a encontrar el cuadro.	☐	☐

REFLEXIÓN

¿Crees que Claudia ha mentido a Lucas? ¿Por qué?

10. EL TALLER DE CLAUDIA

1. Relaciona la información de las dos columnas.

1. Hace tres días que Lucas	a. hablando con un hombre.
2. En Mallorca hay	b. no odia a Claudia.
3. Lucas no entiende por qué	c. entran en su taller.
4. Marina está asustada porque	d. busca a Claudia por la ciudad.
5. Lucas ve a Claudia	e. muchas chicas como Claudia.
6. Claudia y el hombre	f. hoy vuelven los Barniol.
7. Claudia le muestra al hombre	g. el estómago y la cabeza.
8. A Lucas le duele	h. el cuadro que Lucas está buscando.

2. Completa las frases de este capítulo con *porque* o *por qué*.

1. Si Claudia ha robado el cuadro es .... lo necesita para algo importante…

2. No es así. Si lo ha robado es .... es una ladrona.

3. Lucas no entiende .... no la odia.

4. Está triste pero no enfadado. ¿................? .... es un idiota.

5. Marina está asustada .... los Barniol vuelven hoy.

REFLEXIÓN

¿Qué crees que pasa después? ¿Qué piensas que va a hacer Lucas?

11. EL PLAN DE LUCAS

1. Ordena lo que sucede en este capítulo.

1	2	3	4	5	6	7
d						

  a. Marina ve a Claudia caminando hacia su taller.

  b. Lucas se va con los niños a ver los barcos.

  c. Marina le pide un vaso de agua a Claudia.

  d. Lucas está jugando con los niños en el puerto.

  e. Lucas empieza a correr con los niños.

  f. Marina entra en el taller de Claudia y mira los cuadros.

  g. Marina coge el cuadro y sale corriendo del taller.

2. Completa las frases de estos dos fragmentos del capítulo con los pronombres que faltan.

Marc y Carles corren por el puerto y Lucas juega con (1)............

—Lucas, ¿por qué no vienes (2)............... todos los días a cuidarnos? —dice Marc.

—¿No (3)............... gusta Marina? Es un poco antipática, ¿verdad? —bromea Lucas.

—No. Pero tú (4)............... gustas más porque juegas al fútbol con (5)............... —dice Carles.

REFLEXIÓN

¿Qué opinas de lo que ha hecho Marina?
¿Te parece bien?

12. ¿QUÉ ES ESTO?

1. Lee las siguientes informaciones. Hay tres que no son verdad. Márcalas con una ✗.

1. Los Barniol llegan a su casa los primeros. ☐
2. Cuando los Barniol entran en el salón, Marina y Lucas han podido colgar el cuadro. ☐
3. Toni no entiende qué hace ese cuadro en el salón. ☐
4. Los Barniol vendieron el cuadro en París. ☐
5. Marina y Lucas ahora saben que Claudia no ha robado el cuadro. ☐
6. Marina les dice que ella ha pintado el cuadro. ☐
7. Lucas les cuenta a los Barniol que el cuadro lo ha pintado una amiga. ☐
8. A los Barniol no les gusta nada el cuadro. ☐

2. Completa el resumen con la información de la página siguiente.

Lucas, Marina y los niños llegan a la casa. Son las ocho y media y los Barniol (1)................. de la casa. Marina y Lucas están muy nerviosos porque (2)................. en el salón. Los Barniol entran y saludan a Marina. Lucas está intentando colgar el cuadro (3)................. por los nervios y Marina lo ayuda. Los Barniol entran en el salón y cuando ven el cuadro en la pared, (4)................. qué hace allí. Le dicen a Marina que (5)................. y que le enviaron un mensaje. Marina recuerda la tarde que Lucas y Claudia estuvieron en la casa y (6)................. Finalmente, Marina y Lucas les cuentan a los Barniol que (7)............... que ha pintado una amiga.

a. es una copia del cuadro de Barceló
b. pero no puede hacerlo
c. están aparcando el coche en el garaje
d. han vendido el cuadro de Barceló en París
e. todavía no han colgado el cuadro
f. se sorprenden porque no entienden
g. ahora entiende qué pasó

REFLEXIÓN

¿Qué crees que van a hacer los Barniol?

13. LUCAS DICE LA VERDAD

1. ¿Quién lo dice: Lucas o Claudia?

1. No sé nada de ti desde hace tres días. ....
2. Hace tres días que perdí el móvil. ....
3. Pensé en ir a tu casa… pero he tenido problemas. ......
4. Yo no vivo en esa casa. ....
5. Te he mentido. ....
6. Vivimos en Madrid. ....
7. Yo no soy nadie. ....

2. Reconstruye la conversación de Lucas y Claudia.

1. —¿Estás muy enfadado?
2. —¿Qué has hecho, Lucas?
3. —Yo no vivo en esa casa.
4. —Toni no es mi padre.
5. —¿Por qué me has mentido?
6. —¿Te llamas Lucas?
7. —Vámonos.

a. —¡Ah, es el marido de tu madre!
b. —¿A dónde?
c. —No, pero tú sí vas a enfadarte.
d. —Enseñarte el cuadro de Barceló.
e. —¿No vives con tus padres?
f. —Porque yo no soy nadie.
g. —Sí, me llamo Lucas Fernández.

¿Crees que Claudia está enamorada de Lucas?
¿Cuál crees que es la sorpresa que tiene Lucas
para Claudia?

14. SORPRESA

1. Completa las frases sobre este capítulo. A todas les falta una palabra.

> sorprendido/a – asustado/a – amable
> personal – contento/a – triste – bueno/a

1. Cuando llegan a casa de los Barniol, Claudia está un poco....................
2. Claudia está .... de ver a Marina en la casa.
3. Claudia no entiende por qué Toni Barniol es tan .... con ella.
4. Toni Barniol piensa que la obra de Claudia es muy ....
5. Claudia está .... porque piensa que a Toni Barniol no le gusta su cuadro.
6. Toni Barniol le dice a Claudia que su cuadro no es una .... copia.
7. Claudia está muy ...., porque Toni Barniol quiere ver sus cuadros.

2. ¿Verdadero o falso?

		V	F
1.	Claudia está muy nerviosa cuando llega a casa de los Barniol.	☐	☐
2.	Claudia está muy contenta cuando Marina abre la puerta.	☐	☐
3.	Claudia descubre que Marina es la hermana de Lucas.	☐	☐
4.	Toni Barniol no sabe quién es la amiga de Lucas.	☐	☐
5.	Cuando llegan al salón, Claudia se sorprende al ver su cuadro.	☐	☐
6.	Toni Barniol piensa que la obra de Claudia no es buena.	☐	☐
7.	Claudia tiene un cliente que quiere comprar su cuadro.	☐	☐
8.	Claudia llora cuando Toni le dice que no hace buenas copias.	☐	☐
9.	Claudia no quiere enseñarle a Toni Barniol sus cuadros.	☐	☐
10.	El móvil que ha encontrado Carles es de Marina.	☐	☐

REFLEXIÓN

¿Por qué crees que Toni Barniol quiere ver los cuadros de Claudia? ¿Qué intenciones crees que tiene?

15. UN FINAL FELIZ

1. Completa el resumen del capítulo.

Claudia y Lucas se pasean (1)............ por Deià. No quieren pensar en el futuro, porque hoy es su (2)............ en Mallorca. Esta noche Claudia vuelve a Alemania.

Claudia (3).............. muy caro, porque ahora tiene mucho dinero y (4).............. Ha vendido todos (5)................ y ahora sus clientes le quieren comprar más.

Claudia sabe que (6)................ en Mallorca y también a Lucas, pero (7).............. porque quiere vivir el presente.

Lucas sabe que no va a olvidar a Claudia (8)..............., porque son las mejores de su vida.

a. ha reservado una mesa en un restaurante
b. como dos enamorados
c. quiere invitar a Lucas
d. ni estas vacaciones
e. último día juntos
f. va a echar de menos su vida
g. sus cuadros en la galería de Toni Barniol
h. no quiere estar triste

2. Responde a las preguntas.

1. ¿Cómo te imaginas el futuro de Lucas?
2. ¿Cómo te imaginas el futuro de Claudia?
3. ¿Te imaginas a Lucas y a Claudia juntos en el futuro?

REFLEXIÓN

¿Te gusta el final de la historia?
¿Sabes más español después de leer esta historia?

SOLUCIONES

1. LOS FERNÁNDEZ LLEGAN A MALLORCA

1. 1. ▸ Lucas   2. ▸ Marina   3. ▸ Paco   4. ▸ Lucas   5. ▸ Carmen
2. 1. ▸ V   2. ▸ F   3. ▸ F   4. ▸ V   5. ▸ F   6. ▸ F   7. ▸ V   8. ▸ F

2. EL APARTAMENTO

1. Posible respuesta: «Está en la ciudad de Palma, en una zona residencial cerca de la playa. Tiene un salón con terraza y vistas al mar, un dormitorio grande con cama de matrimonio y dos dormitorios más pequeños. Además hay un baño y una cocina.»
2. 1. ▸ c   2. ▸ b   3. ▸ d   4. ▸ a   5. ▸ e   6. ▸ h   7. ▸ f   8. ▸ g

3. UN TRABAJO PARA MARINA

1. 3, 5 y 8
2. 1. ▸ Marina   2. ▸ Lucas   3. ▸ Marina   4. ▸ Carmen   5. ▸ Toni

4. LUCAS SE ENAMORA

1. 1. ▸ d   2. ▸ b   3. ▸ f   4. ▸ e   5. ▸ a   6. ▸ g   7. ▸ c
2. 1. ▸ V   2. ▸ F   3. ▸ V   4. ▸ F   5. ▸ F   6. ▸ V   7. ▸ F   8. ▸ F

5. CLAUDIA QUIERE VER EL CUADRO

1. 1. ▸ el trabajo de Miquel Barceló   2. ▸ el arte   3. ▸ Claudia
   4. ▸ dos semanas   5. ▸ el cuadro de Barceló   6. ▸ rica
2. 1. ▸ c   2. ▸ d   3. ▸ f   4. ▸ a   5. ▸ g   6. ▸ e   7. ▸ b

6. LUCAS Y MARINA HACEN UN TRATO

1. 1. ▸ te echo de menos (Lucas)   2. ▸ te interesa el arte (Marina)
   3. ▸ si te ayudo (Marina)   4. ▸ y la tuya es más grande (Marina)

5. ▸ soy hijo de Toni Barniol (Lucas)   6. ▸ estamos fuera de la casa (Lucas)   7. ▸ trabajos de clase (Lucas)   8. ▸ te los hago yo (Lucas)

2. 1, 3, 4

7. EL CUADRO

1. 1. ▸ c   2. ▸ d   3. ▸ a   4. ▸ e   5. ▸ f   6. ▸ b
2. 1. ▸ b   2. ▸ d   3. ▸ a   4. ▸ f   5. ▸ h   6. ▸ g   7. ▸ c   8. ▸ e

8. MARINA LLAMA A LUCAS

1. 1. ▸ contento   2. ▸ verdad   3. ▸ él   4. ▸ paraíso   5. ▸ creer
   6. ▸ padres   7. ▸ juntos   8. ▸ solos   9. ▸ enamorados
2. 1. ▸ c   2. ▸ e   3. ▸ a   4. ▸ g   5. ▸ d   6. ▸ h   7. ▸ b   8. ▸ f

9. ¿DÓNDE ESTÁ EL CUADRO?

1. 1. ▸ tarde   2. ▸ cuadro   3. ▸ cocina   4. ▸ bolsa   5. ▸ tiempo
   6. ▸ galería   7. ▸ casa   8. ▸ historia   9. ▸ mensaje   10. ▸ móvil
2. 1. ▸ V   2. ▸ F   3. ▸ V   4. ▸ V   5. ▸ V   6. ▸ F   7. ▸ F   8. ▸ V

10. EL TALLER DE CLAUDIA

1. 1. ▸ d   2. ▸ e   3. ▸ b   4. ▸ f   5. ▸ a   6. ▸ c   7. ▸ h   8. ▸ g
2. 1. ▸ porque   2. ▸ porque   3. ▸ por qué
   4. ▸ Por qué / Porque   5. ▸ porque

11. EL PLAN DE LUCAS

1. 1. ▸ d   2. ▸ a   3. ▸ b   4. ▸ f   5. ▸ c   6. ▸ g   7. ▸ e
2. 1. ▸ ellos   2. ▸ tú   3. ▸ os   4. ▸ nos   5. ▸ nosotros

12. ¿QUÉ ES ESTO?

1. 1, 6 y 8
2. 1. ▸ c   2. ▸ e   3. ▸ b   4. ▸ f   5. ▸ d   6. ▸ g   7. ▸ a

13. LUCAS DICE LA VERDAD

1. 1. ▸ Lucas   2. ▸ Claudia   3. ▸ Claudia   4. ▸ Lucas
   5. ▸ Lucas   6. ▸ Lucas   7. ▸ Lucas
2. 1. ▸ c   2. ▸ d   3. ▸ e   4. ▸ a   5. ▸ f   6. ▸ g   7. ▸ b

14. SORPRESA

1. 1. ▸ asustada   2. ▸ sorprendida   3. ▸ amable
   4. ▸ personal   5. ▸ triste   6. ▸ buena   7. ▸ contenta

2. 1. ▸ V   2. ▸ F   3. ▸ V   4. ▸ F   5. ▸ V   6. ▸ F   7. ▸ V
   8. ▸ F   9. ▸ F   10. ▸ F

15. UN FINAL FELIZ

1. 1. ▸ b   2. ▸ e   3. ▸ a   4. ▸ c   5. ▸ g   6. ▸ f   7. ▸ h   8. ▸ d